# UN PADRE Y UNA MADRE QUE ORAN

Cuaderno de Anotaciones para
Guiarle a Orar por sus Hijos

D1684996

Katie Warner

Si los **pulmones** de la oración y de la palabra de
Dios no alimentan la **respiración** de nuestra vida
espiritual, nos arriesgamos a **ahogarnos** en medio
de las mil cosas de todos los días.
**La oración** es la respiración del alma y de la vida.
-Papa Benedicto XVI-

## Queridos padres y madres,

Tal vez no exista mayor regalo que le podamos ofrecer a nuestros hijos
que el regalo de nuestras oraciones. Como padres, y casi sin pensarlo,
nutrimos sus cuerpos y sus mentes mediante nuestras interacciones y
actividades diarias con ellos, pero es a través de la oración fervorosa por
ellos que podemos contribuir para que la vida de gracia florezca en sus
almas, y así colaborar con Dios para que El los transforme en los hijos e
hijas que El desea que ellos sean.

La oración es poderosa. Nos maravillamos al recordar que las oraciones
de Santa Mónica, madre del hijo descarriado, Agustín, trabajaron en
conjunto con el Espíritu Santo para traerlo de regreso al camino del
Señor y llevarlo a la santidad. Atesoramos el testimonio de los Santos
Luis y Celia Martin, padres de Santa Teresa de Lisieux, quienes vivieron
vidas de oración a Dios y oraron apasionadamente por sus hijas, quienes
entraron a la vida religiosa y vivieron extraordinarias vidas de fe.

En ocasiones, atareados con el día a día, no oramos intencionalmente
por nuestros hijos o hijas como quisiéramos. Espero que este sencillo
cuaderno de oración y anotaciones les ofrezca la motivación y
herramientas que necesitan para que la oración por sus hijos sea una
prioridad este año y siempre.

Que Jesús siempre esté cerca de los corazones de nuestros hijos, que la
Santísima Virgen María siempre los cubra con Su manto, que San José
sea su guardián celestial y que sus ángeles de la guarda siempre los
protejan.

**Katie Warner**
CatholicKatie.com

# Como usar **Un Padre y Una Madre Que Oran**

1. Una vez a la semana (¡Añádalo en su calendario!), siéntese con este cuaderno y póngase en la presencia del Señor. **En silencio** y por unos minutos permita que sus otras responsabilidades y obligaciones diarias ocupen un segundo lugar ante la maravillosa oportunidad de orar por sus hijos.

2. **Lea la virtud e intención especial para la semana,** así como el pasaje de la Sagrada Escritura y la cita provista, entonces ore por esa virtud especial para que Dios con su gracia, desarrolle esa virtud en sus hijos.

3. Escriba y ore por intenciones adicionales para sus hijos, **intenciones específicas** que ha tenido en mente para ellos. (Ejemplos: alguna situación en la escuela o trabajo, una decisión importante que tienen que tomar, alguna lucha emocional que estén atravesando, alguna condición de salud, problemas con una relación, etc.).

4. **Continúe orando** todos los días de esa semana por la virtud y por las intenciones específicas para sus hijos. Refiérase a este cuaderno según lo necesite. Cuando rece la oración provista, sustituya la palabra 'hijos' con los nombres de sus hijos, hijo o hija, si sólo tiene uno, de manera que la oración sea más personal. (Nota: Para simplificar la lectura, a través del cuaderno se ha utilizado la palabra hijos en plural tanto para hijos, hijas, hijo o hija).

5. Al final de la semana, **haga una ofrenda espiritual** por sus hijos y escríbala en el espacio provisto. Considere escribir de ante mano las oraciones u ofrendas que planifica ofrecer y luego las marca según las va realizando. Algunos ejemplos de ofrendas espirituales pueden ser:
   - Misas
   - Rosarios, Coronillas y Novenas
   - Oraciones Individuales: Padre Nuestro, Ave María, Gloria, Memorare, Ángelus, o la oración a la Sagrada Familia (en la página siguiente)
   - Ofrecer a Dios sufrimientos y frustraciones diarios
   - Ofrecer a Dios éxitos y gozos diarios
   - Ayuno

Esta guía de oración puede muy bien permanecer como su cuaderno de anotaciones privado. Sin embargo, si algún día decide regalárselo a sus hijos, será sin duda una hermosa ofrenda de amor que les permitirá ver que sus incesantes oraciones por ellos es una de las formas más importantes en que usted como madre o padre cuida de ellos.

Papa Francisco escribió en su exhortación apostólica *Amoris Laetitia* (Sobre el Amor en La Familia), "Todos estamos llamados a continuar luchando por algo más grande que nosotros mismos y nuestras familias, y cada familia debe sentir este impulso constante. Hagamos esta travesía como familias, caminemos juntos. Lo que se nos ha prometido es más grande de lo que imaginamos. Que nunca nos desanimemos debido a nuestras limitaciones, y que nunca dejemos de buscar esa plenitud de amor y comunión que Dios nos ofrece."

## Oración a la Sagrada Familia

Jesús, María y José,
en vosotros contemplamos
el esplendor del verdadero amor;
a vosotros, confiados nos dirigimos.

Sagrada Familia de Nazaret,
haz también de nuestras familias
lugar de comunión y cenáculo de oración,
auténticas escuelas del Evangelio
y pequeñas iglesias domésticas.

Sagrada Familia de Nazaret,
que nunca más haya en las familias
episodios de violencia, de rechazo y división;
que quien haya sido herido o escandalizado
sea pronto consolado y sanado.

Sagrada Familia de Nazaret,
haz que todos tomemos conciencia
del carácter sagrado e inviolable de la familia,
y de su belleza en el proyecto de Dios.

Jesús, María y José, escuchad y acoged nuestra súplica.
Amén.

*(Amoris Laetitia, 325)*

# PUREZA

Bienaventurados los limpios de corazón,
porque ellos verán a Dios.
–Mateo 5:8

Debemos ser puros. Y no me refiero meramente a la pureza
de los sentidos. Debemos observar gran pureza de
voluntad, en nuestras intenciones y nuestras acciones.
- San Pedro Julián Eymard

**Intenciones específicas** por mis hijos para esta semana:

Señor, te pido que escuches estas intenciones especiales y
que aumentes la pureza en mis hijos; por esto humildemente
te ofrezco la siguiente ofrenda espiritual. Con la ayuda de
tu gracia, permite que mis hijos sean modelo de pureza –
pureza de corazón, de mente y cuerpo – en sus familias y en
el mundo que tanto necesita de hijos e hijas de Dios llenos
de pureza.

Mi **ofrenda espiritual** para esta semana:

## FE

En verdad les digo, si tuvieran fe del tamaño de un granito de mostaza, le dirían a este cerro: Quítate de ahí y ponte más allá, y el cerro obedecería. Nada sería imposible para ustedes. -Mateo 17:20

Fe es creer lo que no puedes ver; la recompensa de esa fe es poder ver lo que creíste. - San Agustín

**Intenciones específicas** por mis hijos para esta semana:

Señor, te pido que escuches estas intenciones especiales y que aumentes la fe en mis hijos; por esto te ofrezco la siguiente ofrenda espiritual. Con la ayuda de tu gracia, permite que mis hijos mantengan su fe fortalecida a pesar de los intentos de nuestra cultura para debilitarla. Haz que disfruten el aprender sobre su fe, para que, a través de conocerte cada vez más, también aprendan a amarte más.

Mi **ofrenda espiritual** para esta semana:

# PAZ

Y la paz de Dios que es mayor de lo que se puede imaginar, les guardará sus corazones y sus pensamientos en Cristo Jesús. –Filipenses 4:7

Nunca andes de prisa; hazlo todo en un espíritu calmado y en silencio. Nunca pierdas tu paz interior por nada, aunque el mundo entero parezca perturbado.
- San Francisco de Sales

**Intenciones específicas** por mis hijos para esta semana:

---

Señor, oro por estas intenciones especiales y por paz para mis hijos; por esto humildemente te ofrezco la siguiente ofrenda espiritual. Permite, con la ayuda de tu gracia, que mis hijos vivan una vida caracterizada por paz y no ansiedad, y que te entreguen a Ti todas sus preocupaciones. Ayúdame a enseñarles como identificar áreas en sus vidas donde la paz de sus corazones está siendo atacada para que con valor puedan hacer los cambios necesarios para restablecer su paz.

Mi **ofrenda espiritual** para esta semana:

# HUMILDAD

No hagan nada por rivalidad o vanagloria.
Que cada uno tenga la humildad de creer que los otros son
mejores que él mismo. –Filipenses 2:3

Una vez alguien le preguntó a San Bernard de Clairvaux
cuáles eran las tres virtudes más importantes. Él contestó:
"Humildad, humildad y humildad."

**Intenciones específicas** por mis hijos para esta semana:

```



```

Señor, oro por estas intenciones especiales y para que mis
hijos crezcan en humildad; por esto te ofrezco la siguiente
ofrenda espiritual. Permite, con la ayuda de tu gracia, que
mis hijos seas realmente humildes, y que no busquen la
gloria ni el reconocimiento del mundo, sino que quieran ser
fiel a Ti. Ayuda a mis hijos para que inspiren a otros en lugar
de competir con otros. Dales la humildad de reconocer sus
debilidades y la gracia para que las puedan mejorar.

Mi **ofrenda espiritual** para esta semana:

```



```

## GRATITUD

Den gracias a Dios en toda ocasión; esta es por voluntad de Dios, su vocación de cristianos. –1 Tesalonicenses 5:18

No hay obligación más urgente que la de dar gracias.
- San Ambrosio

**Intenciones específicas** por mis hijos para esta semana:

Señor, oro por estas intenciones especiales y para que mis hijos siempre sean agradecidos; por esto humildemente te ofrezco la siguiente ofrenda espiritual. Permite, con la ayuda de tu gracia, que mis hijos sepan apreciar las bendiciones y dones que Tú les has dado. Ayúdame a enseñarles a ofrecer oraciones de acción de gracias en todo momento y a que expresen a otros su gratitud frecuentemente. Te pido que mis hijos tengan la habilidad de contar sus bendiciones, más que sus quejas.

**Mi** **ofrenda espiritual** para esta semana:

# PACIENCIA

Guarda silencio ante el Señor y espera en Él.
–Salmo 37:7

La paciencia todo lo alcanza. Quien a Dios tiene nada le falta. Sólo Dios basta. - Santa Teresa de Ávila

**Intenciones específicas** por mis hijos para esta semana:

Señor, oro por estas intenciones especiales y para que mis hijos desarrollen la paciencia; por esto humildemente te ofrezco la siguiente ofrenda espiritual. Permite, con la ayuda de tu gracia, que mis hijos esperen con paciencia por las cosas pequeñas y sencillas (como una merienda o unas vacaciones) así como por las cosas grandes e importantes (como su futura vocación). Ayúdalos para que aprendan a ser pacientes con otros, con ellos mismos y con sus faltas. Dales la paciencia que lleva a los pecadores a convertirse en santos.

Mi **ofrenda espiritual** para esta semana:

## ESPERANZA

Porque yo sé los planes que tengo para ustedes, dice el Señor, planes de bienestar y no de calamidad, para darles un futuro y una esperanza. –Jeremías 29:11

No consulten sus miedos sino sus esperanzas y sueños. No piensen en sus frustraciones sino en su potencial. No se preocupen por lo que trataron y falló sino por las cosas que todavía pueden lograr. –Papa Juan XXIII

**Intenciones específicas** por mis hijos para esta semana:

Señor, oro por estas intenciones especiales y para que mis hijos siempre tengan esperanza; por esto te ofrezco la siguiente ofrenda espiritual. Permite, con la ayuda de tu gracia, que mis hijos siempre mantengan viva la esperanza, que es lo que le da significado a la vida y nos motiva a seguir hacia adelante en medio de las adversidades. Ayúdalos para que siempre atesoren la esperanza, que es lo que logrará satisfacer en ellos la búsqueda de la felicidad y los encaminará a su destino celestial.

**Mi ofrenda espiritual** para esta semana:

# PRUDENCIA

Yo, la sabiduría, convivo con la prudencia.
–Proverbios 8:12

Bendecido aquél...que no se apresura a hablar, sino que reflexiona lo que va a decir y la manera en que va a contestar. –San Francisco de Asís

**Intenciones específicas** por mis hijos para esta semana:

Señor, oro por estas intenciones especiales y para que mis hijos desarrollen la prudencia; por esto te ofrezco la siguiente ofrenda espiritual. Permite, con la ayuda de tu gracia, que mis hijos aprendan a aplicar la razón y la sabiduría a las acciones y decisiones que tengan que tomar cada día, ya sean grandes o pequeñas. Te pido que busquen consejo si lo necesitan, que utilicen su buen juicio y que sean decisivos cuando sepan la dirección correcta que deben tomar.

Mi **ofrenda espiritual** para esta semana:

# JUSTICIA

Cuando reina la justicia el justo se alegra; pero es la ruina de los malhechores. –Proverbios 21:15

El origen de la justicia no es la venganza, sino la caridad. -Santa Brígida de Suecia

**Intenciones específicas** por mis hijos para esta semana:

Señor, oro por estas intenciones especiales y para que mis hijos siempre sean justos; por esto te ofrezco la siguiente ofrenda espiritual. Por favor permite, con la ayuda de tu gracia, que mis hijos siempre luchen por mantener y restablecer la justicia en el mundo que les rodea, tanto en sus hogares, como fuera de ellos. Fortalece sus voluntades para que se mantengan firme en ofrecerle a Dios lo que le pertenece a Él, como la adoración, y a otros lo que le pertenece ellos, como el derecho a la vida.

Mi **ofrenda espiritual** para esta semana:

# MODERACIÓN

No te dejes llevar por tus deseos, refrena tus apetitos.
–Siracides 18:30

Maneja todo con moderación, es decir, tu abstinencia, tu ayuno, tus vigilias y tus oraciones; la templanza sostiene tu cuerpo y tu alma con la medida apropiada, para que no fallen. –Santa Hildegarda

**Intenciones específicas** por mis hijos para esta semana:

Señor, oro por estas intenciones especiales y para que mis hijos practiquen la moderación y la templanza; por esto te ofrezco la siguiente ofrenda espiritual. Permite, con la ayuda de tu gracia, que mis hijos aprendan a tener control ante la atracción de los placeres del mundo, y que utilicen las cosas materiales de manera saludable. Ayuda a mis hijos a combatir los intentos de nuestra cultura y permite que no caigan en la trampa de la gratificación instantánea y los excesos.

Mi **ofrenda espiritual** para esta semana:

# FORTALEZA

El Señor es mi fuerza, el motivo de mi canto. –Salmos 118:14

La persona con fortaleza persevera en hacer lo que la conciencia le dicta...la voluntad del fuerte padece, pero éste se mantiene firme; puede llorar, pero se enjuga sus lágrimas. Cuando las dificultades aprietan, el fuerte no se rinde ante ellas. –San Josemaría Escrivá

**Intenciones específicas** por mis hijos para esta semana:

Señor, oro por estas intenciones especiales y para que mis hijos posean la heroica virtud de la fortaleza; por esto te ofrezco la siguiente ofrenda espiritual. Con la ayuda de tu gracia, oro para que mis hijos se mantengan firme ante las adversidades de la vida y que nunca dejen de procurar el bien. Que cuando enfrenten situaciones difíciles en sus vidas, se acerquen más a ti en lugar de alejarse de ti. Ayúdalos a resistir las tentaciones y a mantener una vida moral.

Mi **ofrenda espiritual** para esta semana:

# VOCACIÓN

Yo, el prisionero de Cristo les exhorto, pues, a que se muestren dignos de la vocación que han recibido.
–Efesios 4:1

Si eres lo que deberías ser, encenderías el mundo en fuego.
–Santa Catalina de Siena

**Intenciones específicas** por mis hijos para esta semana:

```
```

Señor, oro por estas intenciones especiales y por la vocación de mis hijos; por esto ofrezco la siguiente ofrenda espiritual. Tú conoces a mis hijos y su futuro, Tú los sostienes en la palma de tu mano. Permite que abran sus corazones al plan que Tú tienes para ellos. Sin duda, sólo así podrán poner sus dones al mejor de los usos, que es glorificarte a ti y realizarse al máximo. Sobre todo, ayúdalos a cumplir con su más importante vocación, que es amar, ya sea en una familia o en la vida religiosa.

Mi **ofrenda espiritual** para esta semana:

```
```

## GENEROSIDAD

Con este ejemplo les he enseñado claramente que deben trabajar duro para ayudar a los débiles. Recuerden las palabras del Señor Jesús: Hay mayor felicidad en dar que en recibir. –Hechos 20:35

Enséñanos a dar sin importar cuanto nos cueste.
–San Ignacio de Loyola

**Intenciones específicas** por mis hijos para esta semana:

Señor, oro por estas intenciones especiales y para que aumentes en mis hijos la generosidad; por esto te ofrezco la siguiente ofrenda espiritual. Ayúdalos para que sean generosos con su tiempo, talento y recursos materiales. Permite, con la ayuda de tu gracia que busquen oportunidades para ser generosos tanto en la casa, (ayudando con tareas, o compartiendo juguetes con sus hermanos) como fuera de la casa (haciendo trabajo voluntario en organizaciones benéficas o ayudando a otros).

Mi **ofrenda espiritual** para esta semana:

## ORACIÓN

Con él tenemos la certeza de que, si le pedimos algo conforme a Su voluntad, nos escuchará. –1 Juan 5:14

La oración es el refugio para toda preocupación, la base del entusiasmo, el origen de la alegría constante y la protección contra la tristeza. -San Juan Crisóstomo

**Intenciones específicas** por mis hijos para esta semana:

Señor, oro por estas intenciones especiales y para que mis hijos tengan una vida de oración profunda y constante. Oro para que con la ayuda de tu gracia se sientan sedientos por tener más tiempo de oración, siempre buscando una relación y conversación más íntima contigo y haciendo una prioridad el tiempo de crecer contigo en silencio, leyendo la Sagrada Escritura y atesorando las oraciones de la Iglesia.

Mi **ofrenda espiritual** para esta semana:

Todo lo puedo en aquél que me fortalece. –Filipenses 4:13

Jesús, fuente de mi vida, santifícame. O, mi fortaleza, fortifícame. Mi comandante, pelea por mí. –Santa Faustina

**Intenciones específicas** por mis hijos para esta semana:

Señor, oro por estas intenciones especiales y para que mis hijos se sientan seguros de ellos mismos a través de sus vidas; por esto te ofrezco la siguiente ofrenda espiritual. Señor, cuando las situaciones traten de robarles su confianza en ellos mismos y en Ti, ayúdalos a buscar tu fortaleza. Permite que tengan seguridad y confianza en sus habilidades y los dones que Tú les has dado, pero que a su vez mantengan un espíritu de humildad y no de orgullo o vanidad. Ayúdalos para que esa confianza se convierta en una independencia saludable de nosotros como padres, pero una dependencia total en Ti.

Mi **ofrenda espiritual** para esta semana:

# CASTIDAD

La voluntad de Dios es que se hagan santos y que rehúyan la libertad sexual. –1 Tesalonicenses 4:3

La castidad no es fácil y es algo que se logra a largo plazo; hay que esperar pacientemente para que dé frutos, porque traerá alegría y cariño. Pero al mismo tiempo, la castidad es el camino seguro a la felicidad.
–Papa San Juan Pablo II

**Intenciones específicas** por mis hijos para esta semana:

Señor, oro por estas intenciones especiales y para que mis hijos sean castos a través de toda su vida. Mi Dios, tú sabes que esta virtud está siendo atacada ferozmente por nuestra cultura. Por favor, permite que mis hijos tengan la determinación de mostrar castidad en sus formas de vestir, los programas y cosas que ven, escuchan y leen y también en sus relaciones. Ayúdalos para que puedan "integrar exitosamente su sexualidad" para así lograr la unificación de cuerpo y el espíritu (CIC 2337).

Mi **ofrenda espiritual** para esta semana:

## EDUCACIÓN

Conserva mi disciplina, no la dejes; guárdala y vivirás.
–Proverbios 4:13

La verdadera educación nos permite amar la vida y nos abre a la plenitud de la vida. –Papa Francisco

**Intenciones específicas** por mis hijos para esta semana:

Señor, oro por estas intenciones especiales y para que mis hijos siempre quieran aprender. Te pido, con la ayuda de tu gracia que inculques en mis hijos amor por aprender, sin importar su edad. Ayúdalos para que deseen aprender durante toda su vida, que siempre se mantengan en la búsqueda de conocimiento y entendimiento del mundo que les rodea, y de tu verdad, bondad y belleza. Dame la sabiduría para que mientras mis hijos estén bajo mi cuidado les enseñe las verdades más importantes, y los inspire para que siempre te ofrezcan a Ti sus metas educativas y todo lo que aprendan.

Mi **ofrenda espiritual** para esta semana:

# AMISTAD CON MARÍA

Porque se fijó en su humilde esclava, y desde ahora todas las generaciones me llamarán bienaventurada. –Lucas 1:48

Los santos más grandes, los más ricos en gracia y virtud serán los que oren más diligentemente a la Santísima Virgen María, admirándola como la modelo perfecta a imitar y como una poderosa asistente que los ayuda.
-San Luis de Montfort

**Intenciones específicas** por mis hijos para esta semana:

Señor, oro por estas intenciones especiales y por la relación de mis hijos con la Santísima Virgen María. Sé que la Biblia y los santos demuestran que una relación íntima con María nos acerca más a Ti. Ayuda a mis hijos a implorar su maternal intercesión y permite que vean a Nuestra Señora como su Madre celestial, quien siempre estará lista a protegerlos, consolarlos y alumbrarles el camino hacia Ti.

Mi **ofrenda espiritual** para esta semana:

## HONRANDO EL DÍA DEL SEÑOR

Acuérdate del día de reposo para santificarlo. Trabaja seis días y en ellos haz todas tus faenas. Pero el día séptimo es día de descanso, consagrado a Yavé tu Dios...pues en seis días Yavé hizo el cielo y la tierra y el séptimo día descansó. Por eso bendijo el sábado y lo hizo sagrado. –Éxodo 20:8-11

Reposo, ocio, paz, son parte de la felicidad. Si no escapamos del ajoro, la búsqueda histérica, la agitación, la necesidad de preocuparnos, no seremos felices.
–Josef Pieper

**Intenciones específicas** por mis hijos para esta semana:

Señor, oro por estas intenciones especiales y para que mis hijos siempre honren el día del Señor a través de toda su vida. Con la ayuda de tu gracia y con mi ejemplo, ayúdalos para que mantengan el domingo, como un día de descanso, alabanza, juego, relajación y ocio con aquellos que más aman. Nuestra cultura nos motiva a trabajar los domingos; permite que mis hijos protejan su domingo con determinación.

**Mi ofrenda espiritual** para esta semana:

Hagan esto en conmemoración mía. –Lucas 22:19

La Sagrada Comunión es el camino más corto
y seguro al cielo. –San Pio X

Muchas personas ven el confesionario como un lugar de
derrota, pero la confesión es siempre
y cada una de las veces, un lugar de victoria.
–Padre Mike Schmitz

**Intenciones específicas** por mis hijos para esta semana:

Señor, oro por estas intenciones especiales y para que mis
hijos desarrollen una devoción profunda por los
sacramentos; por esto humildemente te ofrezco la siguiente
ofrenda espiritual. Infunde en mis hijos Tu gracia
sacramental, y ayúdalos a crear el hábito de recibir la
Reconciliación y la Sagrada Comunión para que en
comunión contigo, tú los fortalezcas, haz que siempre
vengan a ti por sanación. Permite que tus sacramentos los
transformen en la persona que tú quieres que ellos sean.

Mi **ofrenda espiritual** para esta semana:

# FERVOR

Sean fervorosos en el Espíritu y sirvan al Señor.
–Romanos 12:11

El fervor nos revela la diferencia entre un mundo que ha crecido meramente secular y antiguo, y la frescura del amor cristiano –Anthony Esolen

**Intenciones específicas** por mis hijos para esta semana:

Señor, oro por estas intenciones especiales y para que mis hijos sean fervorosos; por esto te ofrezco la siguiente ofrenda espiritual. Dales un fuerte y proactivo deseo de crecer espiritualmente y de ser rectos. Con la ayuda de tu gracia, permite que mis hijos sean diligentes en practicar la caridad y progresar en virtud y santidad. Que la vida espiritual y relación contigo sea una prioridad para ellos, a pesar de que otras cosas traten de monopolizar su tiempo y atención.

Mi **ofrenda espiritual** para esta semana:

Muéstrale al niño el camino que debe seguir, y se mantendrá en él aun en la vejez. –Proverbios 22:6

Convivir es un arte, una travesía paciente, bella y fascinante. No termina cuando se conquista el amor del otro...ahí es cuando precisamente comienza.
–Papa Francisco

**Intenciones específicas** por mis hijos para esta semana:

Señor, oro por estas intenciones especiales y por las relaciones de mis hijos con miembros de la familia; por esto te ofrezco la siguiente ofrenda espiritual. Por favor permite que nuestros lazos familiares sean fuertes, te pido por paz y armonía entre hermanos y entre padres e hijos en nuestro hogar. Oro para que juntos luchemos por construir una base sólida de amor que perdure por siempre.

Mi **ofrenda espiritual** para esta semana:

## OBEDIENCIA

Amarás pues a Yavé, tu Dios y cumplirás todos los días cuanto te tiene ordenado: sus ordenanzas, sus mandamientos y sus preceptos. –Deuteronomio 11:1

Dios se complace más en un pequeño acto de obediencia en Su nombre, que todas las buenas obras que le puedas ofrecer. -San Juan de la Cruz

**Intenciones específicas** por mis hijos para esta semana:

Señor, oro por estas intenciones especiales y para que mis hijos practiquen la obediencia; por esto te ofrezco la siguiente ofrenda espiritual. Con la ayuda de tu gracia, permite que ellos vean la obediencia como una virtud preciosa, a pesar de que nuestra cultura trata de que la veamos como una carga pesada e innecesaria. Señor, cultiva en mis hijos el deseo de ser obedientes a Ti, a tus mandamientos y a tu Iglesia, que nos respeten a nosotros como padres y a otras figuras de autoridad que así lo merezcan.

Mi **ofrenda espiritual** para esta semana:

# CONFIANZA

Confía en el SEÑOR con todo tu corazón…-Proverbios 3:5

Si tu confianza es grande, mi generosidad no tendrá límites.
–Jesús a Santa Faustina

**Intenciones específicas** por mis hijos para esta semana:

```
┌─────────────────────────────────────────────────┐
│                                                 │
│                                                 │
│                                                 │
│                                                 │
│                                                 │
└─────────────────────────────────────────────────┘
```

Señor, oro por estas intenciones especiales y para que mis hijos siempre tengan una profunda confianza en Ti; por esto te ofrezco la siguiente ofrenda espiritual. Permite que mis hijos siempre confíen en tu plan y tu habilidad de cuidar por ellos sin importar lo que tengan que enfrentar en la vida. Con la ayuda de tu gracia, oro para se abandonen a Tu voluntad y que no teman al futuro. Te pido que mis hijos confíen en mí como padre o madre para apoyarlos y que me vean como un modelo de fe y confianza en Ti.

Mi **ofrenda espiritual** para esta semana:

```
┌─────────────────────────────────────────────────┐
│                                                 │
│                                                 │
│                                                 │
└─────────────────────────────────────────────────┘
```

# AMOR

Ahora pues, son válidas la fe, la esperanza y el amor; las tres, pero la mayor de estas tres es el amor.
–1 Corintios 13:13

La caridad da forma, mueve, y es la madre y raíz de todas las virtudes. - Santo Tomás de Aquino

**Intenciones específicas** por mis hijos para esta semana:

Señor oro por estas intenciones especiales y para que mis hijos sean modelos de virtud y de amor. Que sigan tu ejemplo, el de la Santísima Virgen María y los santos, quienes cambiaron el mundo con su profundo amor. Permite que el amor irradie de ellos y a través de sus decisiones para que transformen poderosamente sus vidas y las de los demás. Ayúdalos para que siempre recuerden que su corazón fue creado por amor: para amar y ser amados, y que la verdadera fuente de amor sólo se encuentra en Ti, nuestro Dios y Creador.

Mi **ofrenda espiritual** para esta semana:

# MANSEDUMBRE

Pónganse pues, el vestido que conviene a los elegidos de Dios, sus santos muy queridos: la compasión tierna, la bondad, la humildad, la mansedumbre, la paciencia. Sopórtense y perdónense unos a otros si uno tiene motivo de queja contra otro. Como el Señor los perdonó, a su vez hagan ustedes lo mismo. –Colosenses 3:12-13

Nada es más poderoso que la mansedumbre. De la misma manera que el fuego se extingue con agua, una mente llena de ira se apacigua con la mansedumbre.
–San Juan Crisóstomo

**Intenciones específicas** por mi hijo(a) para esta semana:

Señor, oro por estas intenciones especiales y para que mis hijos crezcan en mansedumbre. Con la ayuda de tu gracia, permite que mis hijos busquen fortalecerse en Ti para que pueda controlar su ira y evitar guardar resentimientos hacia los demás. Oro para que en las situaciones que les provoquen enojo y resentimiento, ellos logren mantener un sentido de paz frente a la adversidad.

Mi **ofrenda espiritual** para esta semana:

# ALEGRÍA

¡Aplaudan, pueblos todos, aclamen a Dios
con voces de alegría! –Salmos 47: 1

La alegría es una red de amor con la cual
podemos pescar almas. - Santa Teresa de Calcuta

**Intenciones específicas** por mis hijos para esta semana:

<br>
<br>
<br>
<br>
<br>

Señor, oro por estas intenciones especiales y para que mis hijos sean alegres; por esto te ofrezco la siguiente ofrenda espiritual. Con la ayuda de tu gracia, permite que mis hijos siempre procuren la auténtica y verdadera alegría a través de su relación contigo, en lugar de buscarla en el dinero, posesiones, fama, y otras cosas fugaces que el mundo les ofrece. Llénalos de alegría por servir y compartir con otros tu luz, para que sean la lámpara que alumbra este mundo tan oscuro.

Mi **ofrenda espiritual** para esta semana:

# SABIDURÍA

Adquiere sabiduría más bien que el oro... - Proverbios 16:16

Tu sabiduría y la verdad son una sóla; ¿dónde más podríamos encontrar y atesorar el bien verdadero?
–San Agustín

**Intenciones específicas** por mis hijos para esta semana:

Señor, oro por estas intenciones especiales y para que mis hijos adquieran el don de la sabiduría; por esto te ofrezco la siguiente ofrenda espiritual. Con la ayuda de tu gracia permite que mis hijos crezcan en este gran don del Espíritu Santo, a través del cual podrán valorar las cosas que creemos por fe. Ayúdalos para que tengan la sabiduría de vivir una vida santa y de valorar todo lo creado por Ti. Oro para que mis hijos compartan esa sabiduría con otros para que aquellos que los conozcan también aprendan a amar la verdad de la fe cristiana.

Mi **ofrenda espiritual** para esta semana:

## AMISTAD CON LOS SANTOS

Cuando lo tomó, los cuatro Seres Vivientes se postraron ante el Cordero. Lo mismo hicieron los veinticuatro ancianos que tenían en sus manos arpas y copas de oro llenas de perfumes, que son las oraciones de los santos.
–Apocalipsis 5:8

La santidad es bella; es una bella manera de vivir. Los santos nos dan un mensaje. Nos dicen: ten fe en el Señor, porque el Señor nunca decepciona. –Papa Francisco

**Intenciones específicas** por mis hijos para esta semana:

Señor, oro por estas intenciones especiales y para que mis hijos desarrollen una amistad especial con los santos. Dales el deseo de querer aprender más sobre la vida de los santos, pedir su intercesión y vivir imitando su santidad. Permite que acojan un santo patrón que los inspire a mantenerse fiel a Dios y a querer cambiar radicalmente y amorosamente el mundo que les rodea.

Mi **ofrenda espiritual** para esta semana:

No desprecien a ninguno de estos pequeños. Pues yo se los digo: sus ángeles en el cielo contemplan sin cesar la cara de mi Padre en el cielo. –Mateo 18:10

De esta manera el verdadero cristiano se mantiene puro para la oración. Ora en comunión con los ángeles...y ellos siempre lo protegen. –Clemente de Alexandria

**Intenciones específicas** por mis hijos para esta semana:

Señor, oro por estas intenciones especiales y para que mis hijos se mantengan cerca de los ángeles de Dios. Oro, para que en el momento apropiado mis hijos desarrollen conciencia de la batalla espiritual entre el bien y el mal que acontece en el mundo, para que así procuren la protección de los ángeles, quienes los ayudarán en la batalla espiritual. Permite que tengan una cercanía especial con sus ángeles de la guarda, quienes han sido asignados por Dios para guiarlos, protegerlos y ayudarlos, especialmente en medio del caos y las dificultades.

Mi **ofrenda espiritual** para esta semana:

## CONOCIMIENTO

Un espíritu abierto, adquiere conocimientos; el oído del sabio está atento al saber. - Proverbios 18:15

No se adquiere todo el conocimiento en un momento. Debemos comenzar por creer; luego somos guiados a descubrir la evidencia por nosotros mismos.
–Santo Tomás de Aquino

**Intenciones específicas** por mis hijos para esta semana:

Señor, oro por estas intenciones especiales y para que mis hijos posean el don de conocimiento; por esto te ofrezco la siguiente ofrenda spiritual. Con la ayuda de tu gracia, permite que mis hijos puedan juzgar las cosas de acuerdo con las verdades de la fe Católica, y que vean las circunstancias de la vida como Tú las ves. Con el don de conocimiento, permite que ellos puedan reconocer Tu propósito y plan para sus vidas.

Mi **ofrenda espiritual** para esta semana:

## BONDAD

Se ve en nosotros pureza de vida, conocimiento, espíritu abierto y bondad, con la actuación del Espíritu Santo y el amor sincero… –2 Corintios 6:6

Sé una viva expresión de la bondad de Dios; bondad en tu rostro, bondad en tu mirada, bondad en tu sonrisa, bondad en tu tierno saludo –Santa Teresa de Calcuta

**Intenciones específicas** por mis hijos para esta semana:

Señor, oro por estas intenciones especiales y para que mis hijos sean portadores de tu bondad; por esto te ofrezco la siguiente ofrenda espiritual. Con la ayuda de tu gracia permite que mis hijos traten a otros igual o mejor de lo que les gustaría ser tratados y que siempre procuren ser amables y misericordiosos con quien lo necesite. Oro para que se sientan motivados a expresar bondad diariamente de manera intencional, en el hogar y donde quiera que vayan.

Mi **ofrenda espiritual** para esta semana:

## EVANGELIZACIÓN

¿Pues cómo podría alardear de que anuncio el Evangelio?
Estoy obligado a hacerlo y; ¡pobre de mí,
si no proclamo el Evangelio! –1 Corintios 9:16

Todo cristiano tiene el reto, aquí y ahora, de evangelizar
activamente; de hecho, cualquiera que haya
experimentado verdaderamente el amor salvador de Dios
no necesita ningún adiestramiento para ir y proclamar a
todos ese gran amor. –Papa Francisco

**Intenciones específicas** por mis hijos para esta semana:

Señor oro por estas intenciones especiales y para que mis
hijos acepten fervorosamente su misión evangelizadora, a la
cual todos estamos llamados a participar a través del
bautismo. Permite que mis hijos estén llenos de amor y gozo
por Jesús y el Evangelio y para que lo compartan con otros.
Oro para que mis hijos siempre tengan el valor y la pasión
de compartir su fe con otros, incluso en circunstancias
difíciles y cuando sea poco popular hacerlo.

Mi **ofrenda espiritual** para esta semana:

## ENTENDIMIENTO

Nosotros pues, no nos fijamos en lo que se ve, sino en lo que no se ve; porque las cosas visibles duran un momento, pero las invisibles son para siempre. –2 Corintios 4:18

El entendimiento es la recompensa de la fe. Por consiguiente, no busques entender para creer; cree, para que puedas entender. –San Agustín

**Intenciones específicas** por mis hijos para esta semana:

Señor, oro por estas intenciones especiales y para que mis hijos crezcan en entendimiento; por esto te ofrezco la siguiente ofrenda espiritual. Permite que mis hijos puedan entender la belleza y esencia de tu verdad y las verdades de la fe Católica, para que puedan poseer, aunque de forma humana e incompleta, una convicción inquebrantable en sus creencias.

Mi **ofrenda espiritual** para esta semana:

## MODESTIA

¿No saben que su cuerpo es templo del Espíritu Santo que han recibido de Dios y que está en ustedes? Ya no se pertenecen a sí mismos; ustedes han sido comprados a un precio muy alto, pues, que sus cuerpos sirvan a la gloria de Dios. −1 Corintios 6:19-20

Que tu modestia sea suficiente provocación, de hecho, que sea una exhortación a otros para estar en paz por meramente mirarte. −San Ignacio de Loyola

**Intenciones específicas** por mis hijos para esta semana:

Señor, oro por estas intenciones especiales y para que mis hijos practiquen la modestia en sus pensamientos, palabras y forma de vestir; y por esto te ofrezco la siguiente ofrenda espiritual. Con la ayuda de tu gracia, permite que mis hijos vean y atesoren la modestia como una práctica que sostenga su dignidad espiritual como hijos de Dios. Ayúdalos para que desarrollen respeto profundo por el ser humano, y para que la modestia sea una consecuencia natural de este respeto.

Mi **ofrenda espiritual** para esta semana:

# EMPATÍA

Alégrense con los que están alegre,
lloren con los que lloran. –Romanos 12:15

Hay dos tipos de inteligencia: de la mente y del corazón. En la esfera moral no hay duda de que la empatía del corazón es incomparablemente más importante que la de la mente. A través de la mente podemos conocer y entender, pero a través del corazón podemos amar, servir, y cambiar el mundo. –Dr. Donald DeMarco

**Intenciones específicas** por mis hijos para esta semana:

Señor, oro por estas intenciones especiales y para que mis hijos posean una gran empatía hacia otros. Con la ayuda de tu gracia, permite que puedan entender los sentimientos, necesidades y sufrimientos de otras personas. Nuestro mundo- y nuestro hogar- está lleno de personas que necesitan empatía. Ayuda a mis hijos para que puedan satisfacer esa necesidad en otros.

Mi **ofrenda espiritual** para esta semana:

## AUTOCONTROL

El que pone un guardia a su boca y a su lengua, se libra de muchos tormentos. - Proverbios 21:23

¡Miren al cielo, donde Jesucristo les espera con Sus santos! Sean fiel a su amor, y luchen valientemente por sus almas.
–Santa Felícita

**Intenciones específicas** por mis hijos para esta semana:

```



```

Señor, oro por estas intenciones especiales y para que mis hijos siempre tengan autocontrol. Ayúdalos a resistir las tentaciones y rechazar aquellas cosas que los alejen de Ti. Permite que escojan bien sus palabras, que a menudo pueden ser utilizadas sin discreción y que también velen sus pensamientos y sus acciones, las cuales pueden herir a otros si uno no se sabe controlar.

Mi **ofrenda espiritual** para esta semana:

```



```

## TRABAJO Y OCIO

Encomienda tus obras a Yahvé, y tus proyectos se realizarán. -Proverbios 16:3

El ocio es sólo posible cuando nos sintonizamos con nosotros mismos. Tendemos a trabajar más de lo necesario como una manera de escapar, como una forma de justificar nuestra existencia. –Josef Pieper

**Intenciones específicas** por mis hijos para esta semana:

Señor, oro por estas intenciones especiales y para que mis hijos establezcan un sano balance entre trabajo y ocio. Ya sea trabajo escolar, en el hogar o en su carrera profesional, permite que mis hijos ofrezcan su labor a Ti, para que puedan experimentar los beneficios de realizar un trabajo con verdadero propósito. Con la ayuda de tu gracia, ayúdalos para que sepan descansar y apreciar el ocio, evitando así la adicción al trabajo que es tan prevalente hoy día, de manera que puedan maximizar el tiempo compartido con los que aman y haciendo las cosas que más disfrutan.

Mi **ofrenda espiritual** para esta semana:

# DEVOCIÓN

No bastará con decirme: ¡Señor, Señor!, para entrar en el reino de los cielos; más bien entrará el que hace la voluntad de mi Padre del Cielo. –Mateo 7:21

La piedad indica que pertenecemos a Dios, refleja nuestro lazo profundo con Él, una relación que da significado a nuestra vida y nos mantiene en comunión con Él, incluso en los momentos más difíciles. –Papa Francisco

**Intenciones específicas** por mis hijos para esta semana:

Señor, oro por estas intenciones especiales y para que mis hijos crezcan en devoción; por esto te ofrezco la siguiente ofrenda espiritual. Con la ayuda de tu gracia, te pido que infundas en mis hijos un ardiente deseo de alabarte y servirte con toda su alma. Y oro para que este deseo de alabarte y servirte no esté fundado en un sentido de obligación, sino en su inmenso amor por ti.

Mi **ofrenda espiritual** para esta semana:

# PERDÓN

Entonces Pedro se acercó con esta pregunta: ¿Señor cuántas veces tengo que perdonar las ofensas de mi hermano? ¿Hasta siete veces? Jesús le contestó: No te digo siete, sino setenta y siete veces. –Mateo 18:21-22

Aquel que sabe perdonar, prepara para sí mismo muchas gracias de parte de Dios. Cada vez que contemple la cruz, perdonaré a otros con todo mi corazón. -Santa Faustina

**Intenciones específicas** por mis hijos para esta semana:

Señor, oro por estas intenciones especiales, y para que mis hijos aprendan a perdonar; por esto te ofrezco la siguiente ofrenda spiritual. Con la ayuda de tu gracia, ayuda a mis hijos para que puedan perdonar, especialmente cuando es difícil perdonar y cuando parece imposible. Que puedan reconocer que Tú nos has dado el mayor ejemplo de perdón, cuando incluso desde la cruz perdonaste a tus enemigos, quienes te crucificaron.

Mi **ofrenda espiritual** para esta semana:

Muy querido amigo, sabiendo que tu alma va por el buen camino, te deseo que goces de buena salud y que todos tus caminos te den satisfacción. –3 Juan 1:2

**Intenciones específicas** por mis hijos para esta semana:

Señor, oro por estas intenciones especiales y por la salud y seguridad de mis hijos. Dios, este mundo puede ser cruel y aterrador, y a veces niños y jóvenes experimentan violencia y dolor y sólo puedo rogar que mis hijos nunca sean víctimas de la violencia. Te pido, que a través de tu Misericordia protejas a mis hijos de cualquier daño o enfermedad seria; si tuvieran que experimentar dolor o enfrentar una situación peligrosa, envía una multitud de ángeles para que los acompañen, y dales la gracia de soportar lo que tengan que enfrentar. Finalmente te pido que cuando yo esté a punto de caer en la tentación de temer por mis hijos, envía un susurro a mi corazón y recuérdame que debo confiar en Ti, pues tú amas a mis hijos más que yo mismo.

Mi **ofrenda espiritual** para esta semana:

Teme a Dios y observa sus mandamientos; allí está todo para el hombre. –Eclesiastés 12:13

La ausencia del temor a Dios es arrogancia y orgullo. Como se atreven los pecadores presentarse ante Dios como amigos sin antes postrarse ante Él con arrepentimiento y temor y clamar la sangre de Cristo para salvarnos.
–Dr. Peter Kreeft

**Intenciones específicas** por mis hijos para esta semana:

Señor, oro por estas intenciones especiales y para que mis hijos obtengan el don del temor a Dios; y por esto te ofrezco la siguiente ofrenda espiritual. Con la ayuda de tu gracia, te pido que infundas en mis hijos el deseo de nunca ofenderte, ni de palabra ni en sus acciones y dales la gracia para que puedan lograrlo. Permite que siempre se sientan fascinados con tus maravillas, y que te respeten con un profundo amor.

Mi **ofrenda espiritual** para esta semana:

## GENTILEZA

En cambio, la sabiduría que viene de arriba es, ante todo,
recta y pacífica, capaz de comprender a los demás
y de aceptarlos; está llena de indulgencia
y produce buenas obras. –Santiago 3:17

Nada es más fuerte que la gentileza, nada es tan apacible
como la fuerza real. –San Francisco de Sales

**Intenciones específicas** por mis hijos para esta semana:

Señor oro por estas intenciones especiales y para que mis
hijos sean gentiles; por esto te ofrezco la siguiente ofrenda
espiritual. Con la ayuda de tu gracia y a través de mi
ejemplo, permite que mis hijos aprendan a actuar
calmadamente y respetuosamente con los demás. Oro
para que otros puedan ver en mis hijos humildad y
agradecimiento hacia ti. Te pido que les des la fortaleza de
aceptar la crítica con gentileza y modestia, y que estén
abiertos y receptivos a hacer las correcciones necesarias.

Mi **ofrenda espiritual** para esta semana:

Hay amigos que llevan a la ruina, pero otros que son más fieles que un hermano. –Proverbios 18:24

No hay nada en la tierra que sea más valioso que una verdadera amistad. –Santo Tomás de Aquino

**Intenciones específicas** por mis hijos para esta semana:

```
[                                                    ]
[                                                    ]
[                                                    ]
[                                                    ]
[                                                    ]
```

Señor, oro por estas intenciones especiales y para que mis hijos tengan buenas amistades. Yo sé el impacto que los amigos pueden tener en mis hijos. Un buen amigo puede acercarlo a una vida de virtud y un mal amigo lo puede incitar a llevar una vida de pecado. Con la ayuda de tu gracia, te pido que encamines a mis hijos hacia amigos buenos y con virtudes, que los motiven a ser la persona que tú quieres que ellos sean. También oro para que mis hijos sean buenos amigos para otros, y que sus amigos vean en ellos un vivo reflejo tuyo.

Mi **ofrenda espiritual** para esta semana:

```
[                                                    ]
[                                                    ]
[                                                    ]
```

# CONSEJO

La sabiduría del hombre prudente consiste en saber a dónde va; la necedad de los tontos los extravía.
–Proverbios 14:8

A través del don de consejo, es el mismo Dios, con su Espíritu, el que ilumina nuestro corazón, para que comprendamos el modo justo de hablar y de comportarnos en la vida. –Papa Francisco

**Intenciones específicas** por mis hijos para esta semana:

Señor, oro por estas intenciones especiales y para que mis hijos posean el don de consejo; por esto te ofrezco la siguiente ofrenda espiritual. Con la ayuda de tu gracia, te pido que ayudes a mis hijos para que sepan cómo actuar en toda circunstancia, invocando siempre la dirección del Espíritu Santo. Oro para que defiendan las verdades de la fe y siempre vivan de acuerdo con ellas, como fieles discípulos tuyos. Permite que inspiren a otros a actuar prudentemente y con buen juicio.

Mi **ofrenda espiritual** para esta semana:

Que entre ustedes el amor fraterno sea verdadero cariño, y adelántese al otro en el respeto mutuo. –Romanos 12:10

¿Cuál es el signo de amor al prójimo? No buscar lo que te beneficia a ti, sino lo que le beneficia a los demás, tanto en cuerpo como en alma. –San Basilio

**Intenciones específicas** por mis hijos para esta semana:

```
┌─────────────────────────────────────────────┐
│                                             │
│                                             │
│                                             │
│                                             │
│                                             │
└─────────────────────────────────────────────┘
```

Señor, oro por estas intenciones especiales y para que mis hijos muestren preocupación por los demás; por esto te ofrezco la siguiente ofrenda espiritual. Con la ayuda de tu gracia, te pido que ayudes a mis hijos a expresar a otros verdadera atención y amor de hermano demostrando que se preocupan por el bienestar de los que les rodean. Oro también para que se alegren con los logros de los demás, los feliciten y motiven a superarse y que nunca sientan envidia por otros.

Mi **ofrenda espiritual** para esta semana:

```
┌─────────────────────────────────────────────┐
│                                             │
│                                             │
│                                             │
│                                             │
└─────────────────────────────────────────────┘
```

## INDEPENDENCIA

Estaré a mis anchas en todos mis caminos, pues tus ordenanzas he buscado. –Salmos 119:45

Libertad consiste no en hacer lo que nos gusta, sino en tener el derecho de hacer lo que debemos hacer.
–Papa San Juan Pablo II

**Intenciones específicas** por mis hijos para esta semana:

Señor, oro por estas intenciones especiales y para que mis hijos sean adultos fuertes e independientes. Con la ayuda de tu gracia, permite que mis hijos se independicen de nosotros como padres en el momento apropiado y que tengan la habilidad de tomar buenas decisiones para que cuiden de sí mismos, ejercitando el libre albedrio correctamente. Oro para que siempre mantengan una relación saludable con nosotros, compatible con la madurez de su libertad.

Mi **ofrenda espiritual** para esta semana:

# RECTITUD

Hijitos míos, no se dejen extraviar, el que actúa con toda
rectitud es justo, como Él es justo.
−1 Juan 3:7

El hombre justo, evocado con frecuencia en las Sagradas
Escrituras, se distingue por la rectitud habitual de sus
pensamientos y de su conducta con el prójimo.
−Catecismo de la Iglesia Católica 1807

**Intenciones específicas** por mis hijos para esta semana:

---

Señor, oro por estas intenciones especiales y para que mis
hijos sean rectos; por esto te ofrezco la siguiente ofrenda
espiritual. Con la ayuda de tu gracia, permite que mis hijos
te honren haciendo el bien. Ayúdalos para que siempre
eviten el pecado y tomen decisiones moralmente correctas
como una demonstración de su amor hacia ti y como una
respuesta de gratitud por tu gran amor por ellos.

Mi **ofrenda espiritual** para esta semana:

---

# AUTO-EVALUACION

Examínense y vean si permanecen en la fe. Pruébense a sí mismos. ¿Están seguros de que Cristo Jesús está en ustedes? ¿Y qué, si no superan la prueba?
–2 Corintios 13:5

Conócete a ti mismo, y tus faltas, y entonces vive.
—San Agustín

**Intenciones específicas** por mis hijos para esta semana:

Señor, oro por estas intenciones especiales y para que mis hijos aprendan a autoevaluar sus conciencias diariamente. Con la ayuda de tu gracia, oro para que mis hijos siempre procuren ser una mejor persona, que cuando se percaten de una falta, procuren mejorarla y crecer en santidad. Ilumínalos para sepan reconocer cuando se han alejado de ti y te busquen nuevamente. Ayúdalos para que descubran sus talentos y virtudes y reconozcan que provienen de ti, y así los utilicen para tu gloria.

Mi **ofrenda espiritual** para esta semana:

## RESPETO A LA VIDA

No matarás. –Éxodo 20:13

Antes de formarte en el seno de tu madre ya te conocía; antes de que tu nacieras yo te consagré. -Jeremías 1:5

El derecho humano fundamental, la presuposición de cualquier otro derecho, es el derecho a la vida...desde el momento de la concepción hasta la muerte natural.
–Papa Benedicto XVI

**Intenciones específicas** por mis hijos para esta semana:

Señor, oro por estas intenciones especiales y para que mis hijos siempre sientan un profundo respeto por la vida. Permite que mis hijos sean apasionadamente defensores de la vida y luchen por proteger la santidad de toda vida humana desde la concepción hasta la muerte natural. Te pido que estén abiertos a la vida en su vida futura y personal. Inspíralos para que siempre defiendan la vida en privado y en público, aunque a veces no sea la posición más popular.

Mi **ofrenda espiritual** para esta semana:

Estimo que los sufrimientos de la vida presente no se pueden comparar con la Gloria que nos espera y que ha de manifestarse. –Romanos 8:18

Si Dios permite que tengas muchos sufrimientos, es una señal de que tiene grandes planes para ti y de seguro quiere hacerte un santo. -San Ignacio de Loyola

**Intenciones específicas** por mis hijos para esta semana:

Señor, oro por estas intenciones especiales y para que cuando mis hijos tengan que sufrir, lo hagan con dignidad. Aunque verlos sufrir me rompa el corazón, te pido que cuando ocurra, infundas en ellos tu gracia para que en momentos de dolor puedan ver tu poder santificador en esas pruebas. Oro para que mis hijos te ofrezcan su dolor y lo unan al tuyo en la cruz; que nunca piensen que su sufrimiento no tiene un propósito.

Mi **ofrenda espiritual** para esta semana:

# SANTIDAD

Por su parte, sean ustedes perfectos como es perfecto el
Padre de ustedes que está en el cielo. –Mateo 5:48

En la vida, sólo existe una tragedia: no llegar a ser santo.
-Léon Bloy

**Intenciones específicas** por mis hijos para esta semana:

Señor, oro por estas intenciones especiales y para que mis
hijos sean santos algún día en el cielo; por esto te ofrezco la
siguiente ofrenda espiritual. Señor, te imploro que moldees a
mis hijos para que sean santos. Que ellos sientan tu llamado
a una gran santidad, no importa la vocación a la cual sean
llamados. Ayúdalos a ver pequeñas maneras en que
pueden santificarse cada día y que fervientemente se
acerquen cada vez más a ti y se parezcan a ti, para que
puedan unirse a ti en la eternidad en compañía de tus
santos.

Mi **ofrenda espiritual** para esta semana:

Que la familia que ora, en los momentos duros,
y en las situaciones difíciles, confíen también uno
en el otro, para que cada miembro de la familia sea
protegido por el amor de Dios.

-Papa Francisco-

**Gracias, queridos padres,** por acompañarme en esta jornada
de oración por nuestros hijos. Oro para que siempre recurran a la
oración por sus hijos; por sanación para su pasado, por gracia para
su presente y esperanza para su futuro.

Por favor recomiende este cuaderno de oración a
otros, y compartan conmigo sus comentarios a,

CatholicKatieOnline@gmail.com

También me pueden encontrar a mí, así como otros recursos para
ayudar a su familia a vivir una vida más intencional y espiritual en
mi página de la red **CatholicKatie.com** y en Facebook en la
siguiente dirección, Facebook.com/CatholicKatieOnline.

KATIE

Made in the USA
San Bernardino, CA
22 July 2019